Gilbert **Delahaye** ◆ Marcel

martine

petit rat de l'opéra

casterman

Tous les mercredis après-midi, Martine va à l'école
de danse. Elle y retrouve ses copines, mais aussi
Katia, leur professeure. C'est une ancienne
danseuse étoile, et Martine l'admire beaucoup !
Dès le premier jour, Katia a annoncé aux élèves :
– Si vous travaillez bien, nous présenterons
un spectacle à la fin de l'année !

Les leçons commencent toujours par des exercices
à la barre. Martine et ses amies apprennent à tenir
sur une jambe, le bras levé.
– Les doigts souples ! dit Katia. Dressez-vous sur
la pointe du pied, et restez bien droites !

– La première chose qu'une jeune danseuse doit connaître, explique Katia, ce sont les cinq positions. C'est pourquoi je vous les apprends dès la rentrée.

– Moi, je m'y entraîne tous les jours à la maison, dit Martine.

– Bravo! Si tu faisais une démonstration à toute la classe?

Martine fait tous les mouvements à la perfection!

1re position

2e position

3e position

4e position

5e position

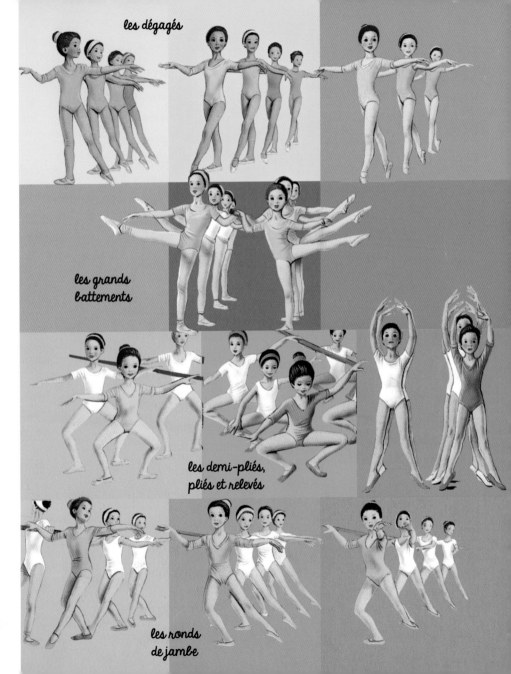

les dégagés

les grands
battements

les demi-pliés,
pliés et relevés

les ronds
de jambe

Dans la salle de danse, il y a un grand miroir qui permet de voir si on fait les mouvements correctement.

Martine est en premier. Elle vérifie que son buste reste droit... même quand elle se dresse sur la pointe du pied !

«Pointe tendue, bras souple, menton haut !» répète Katia.

– Et n'oubliez pas de sourire, rappelle Sophie,
la pianiste. Quand vous serez sur scène,
le public voudra voir des visages joyeux !
«Facile, avec une mélodie aussi entraînante»,
pense Martine.
En plus, Moustache a le droit d'assister
aux leçons, et il observe les danseuses avec
tellement d'attention… Ça ne peut que donner
le sourire !

À chaque leçon, les élèves travaillent les arabesques.

Martine se cambre autant que possible.

«Sans forcer! pense-t-elle. Sinon, on risque de se blesser.»

Moustache tente d'imiter sa petite maîtresse… sauf qu'il a choisi

une position beaucoup moins difficile!

Heureusement, Katia est là pour aider chacune de ses élèves.

– Étire bien ta jambe, Martine. Le plus haut possible et la pointe tendue.

Une fois qu'elles se sont assouplies, les danseuses se mettent à la barre pour faire un «pied dans la main».

Il faut tenir cinq secondes!

grand battement
en attitude

Même les «grandes» du cours de danse moderne sont impressionnées par Martine et ses amies.

«Avec tout ce monde qui nous regarde, pense Martine, on se croirait déjà en plein spectacle!»

La figure préférée de Martine, c'est le grand écart. Elle le maîtrise parfaitement, comme ses copines.

– Chacune avec un port de bras différent! demande Katia. Julie, les bras en couronne, buste en avant! Martine, un bras relevé, tête en arrière!

*port de bras
en grand écart*

Les ballerines apprennent
la chorégraphie qu'elles
présenteront le jour du
spectacle. Elles écoutent
attentivement les consignes
de Katia :
– Vous devrez danser en
rythme, en gardant le regard
droit et le menton haut.
Martine, c'est toi qui
donneras la cadence,
les autres te suivront.

Martine est tellement fière !
Katia lui a donné le rôle
le plus important !
« Tout le monde compte sur
moi ! » pense-t-elle.

À chaque cours, les élèves révisent l'enchaînement avec grâce :
mouvements d'adage, arabesques…
Plus elles s'entraînent, plus elles progressent !

– Vous avez toutes atteint un très bon niveau,
dit Katia à ses élèves. Il est temps de passer
aux chaussons à pointe !
– Les pointes ? répète Martine. Comme les vraies
ballerines ?
– Oui, je vais vous montrer comment les utiliser.

Les filles enfilent leurs nouveaux chaussons. Elles ont
l'impression d'être des danseuses étoiles, comme Katia !

Pour s'habituer aux pointes, il faut commencer par des figures simples.

Martine essaye de faire un tour piqué.

– Bravo ! la félicite Katia. Maintenant, nous allons répéter

la chorégraphie du spectacle.

Les élèves dansent à merveille. C'est un sans-faute !

entrechat quatre

pas de bourrée

glissade grand jeté

ports de bras

glissade
«saut de chat»

grand jeté
en tournant

Plus qu'une semaine
avant le spectacle…
Martine s'entraîne tous
les jours!
Elle saute très haut pour
réussir ses entrechats
et ses glissades.
Elle prend de l'élan
pour faire de beaux
pas de bourrée, elle
écarte bien les bras
pour réaliser les grands
jetés.
Avec sa copine Julie,
elle s'exerce aux
ports de bras et
aux révérences.

C'est le grand jour !

Katia a réservé un magnifique théâtre pour le spectacle de danse.

Martine enfile son costume : un très joli tutu vert pâle et blanc,

avec un jupon en voile…

« Comme un vrai petit rat de l'opéra ! » pense-t-elle.

Les parents ont pris place dans le public. Il y a un monde fou !

Les lumières éclairent l'estrade. Moustache se cache derrière le rideau.

– Bravo ! Bravo ! crient les spectateurs à la fin de la chorégraphie. Martine et ses amies font la révérence et quittent la scène sous les applaudissements. Ensuite, la classe des grandes présente un ballet sur l'histoire de Cendrillon.

Martine contemple le spectacle.

«Moi aussi, un jour, je jouerai une princesse…» pense-t-elle en souriant.

Et retrouve toutes les aventures de **martine** dans la collection albums !

martine
petit rat de l'opéra

martine
garde son petit frère

martine
baby-sitter

martine
fête son anniversaire

martine
l'arche des animaux

martine
protège la nature

martine
prépare une surprise

martine
et les quatre saisons

martine
et le prince mystérieux

martine
est malade

martine
à la maison

martine
fête maman

Casterman
Cantersteen 47
1000 Bruxelles

www.casterman.com

ISBN : 978-2-203-12589-6
N° d'édition : L.10EJCN000619.N001